发现最棒的自己

小兔马丁的烦恼

王坤／著　马亮　肖铮／图

首都师范大学出版社
CAPITAL NORMAL UNIVERSITY PRESS

小兔马丁的家位于美丽的东普措大森林里。
锦鸡米勒就住在他家屋后的云杉树上。

锦鸡米勒顶着红彤彤的鸡冠子，浑身布满金黄色的羽毛，迎风招展的长翎子神气地翘在身后，他觉得自己长得帅极了。

锦鸡米勒每天梳理羽毛时，不忘时常嘲笑一下马丁："嘿！'白雪公主'，瞧瞧你身上连点儿鲜艳的色彩都没有，就连长相也怪模怪样的，你不难过吗？"听着米勒的挖苦，马丁心头非常气恼。

他不服气地跑到小河边，端详着水中的倒影，只见河中的小兔子长着细长的耳朵、硕大的脚掌和一身通白的皮毛，真的很难看。

马丁深深叹了一口气说："唉，难怪米勒会挤兑我。"

这天，又受了委屈的马丁伤心地回到家，去找兔妈妈告状。兔妈妈笑着安慰他："孩子，别太在意米勒的话，遇到危险时，我们这不起眼的长相，可有大用处呢，和他一起玩去吧。"

忘掉不快的马丁和伙伴们一起玩起了捉迷藏，轮到锦鸡米勒蒙上眼睛，让大家藏了。

　　小鹿藏在了树干后，小猴躲进了树洞里，小刺猬缩成球猫在巨石旁；小兔马丁屏住呼吸，静静地趴在灌木丛下。

米勒始终找不到大家，索性耍起赖来，他展翅飞到半空，从高处往下窥视："哈哈，我发现马丁了。" 米勒悄悄俯冲下来，用尖尖的嘴巴，猛然叼起马丁的长耳朵，用力往外拽。

"哎呦，好痛！"马丁懊恼地揉着被叮疼的耳朵。他难过地想："我的耳朵干嘛长这么长？米勒太可恶了，尽找机会欺负我。"

一天晌午，山坡上的一块草坪在阳光照射下，发出耀眼的光芒，就像一个夺目的舞台。

锦鸡米勒灵机一动，他建议小伙伴们在这"舞台"上，举行一场别开生面的时装表演。

不一会儿，穿着各式服装的小伙伴们都集中到草坪周围，每个人都跃跃欲试。
　　米勒打头阵，小猴子第二个上场，他们走的台步有模有样，迎来了大家阵阵掌声。

现在轮到小兔马丁出场了，他头戴插着羽毛的白帽子，右手举着油灯，把自己装扮成了阿拉丁的模样。

就在大家全神贯注地欣赏马丁的精彩表演时，马丁的两只大脚掌在走猫步时，不小心绊在了一起，他毫无防备地摔了出去，就连油灯也脱手而飞。

锦鸡米勒可不会放过这难得的"机会"，他站在伙伴们中间，尽情地挖苦马丁："呦，大家快来看看，马丁的大脚像不像两把蒲扇？哈哈，太有趣了。"
　　受不了奚落的马丁哭着跑回家去了。

转眼，寒冷的冬天到了。这天，爸爸妈妈到镇上去看望马丁的奶奶。马丁看着窗外纷纷扬扬的大雪，发愁地想："估计爸爸妈妈今天不会回来了，我得靠自己找些吃的。"

雪越下越大，很快森林里就像盖了一块严实的白毯子。

同样饿肚子的锦鸡米勒也不得不离开温暖的家，四处寻找可以果腹的草籽。

不远处传来一声轻微的灌木丛被剐蹭的声音，正好被枯树旁的马丁听到，他立刻意识到危险近在眼前。于是赶紧躲到枯树后，隐匿好自己的行迹。

马丁看到狐狸的身影在树林间闪过。他暗自感谢自己的长耳朵及时通报了危险，白色的皮毛又帮他骗过了狐狸的眼睛。

锦鸡米勒可没那么幸运，他不巧落入了狐狸的视线。当狐狸猛地扑上去时，惊慌失措的米勒已经来不及飞起来了。他只好呼扇着翅膀，连蹦带跳地逃命。

一路上，米勒始终没机会摆脱狐狸。由于又冷又饿，不一会儿，米勒的腿就使不上劲了，翅膀也越来越沉重，他渐渐陷入了绝境。

小兔马丁决定帮帮米勒。他壮起胆子，悄悄绕到狐狸身后，用脚将枯树枝故意踩出"嚓嚓"的响声，来吸引狐狸的注意。

听到响动的狐狸掉转头扑向马丁。锦鸡米勒终于有了喘息的机会，他感到一阵轻松，急忙展翅飞上了云杉树。这时，他才发现，帮自己解围的竟是常受他嘲弄的小兔马丁。

马丁紧张地看着狐狸扑向自己，他瞅准时机掉转身子，撩起粗大的后脚，拿脚后跟狠狠地踹向狐狸。只听"嘭"的一声，被踹中的狐狸，疼得缩成一团，倒在了地上。

云杉树下，锦鸡米勒满怀羞愧地向马丁道谢。马丁笑着说："其实，我也要感谢这次遇险，它让我喜欢上了自己的长耳朵、白皮毛和大脚丫。"